Franklin wymienia się kartami

Książka powstała na podstawie odcinka animowanej serii pt. Witaj, Franklin, wyprodukowanej przez Nelvana Limited, Neurones France s.a.r.l. i Neurones Luxembourg S.A.

Postacie Franklina, jego rodziny i przyjaciół stworzyły pisarka Paulette Bourgeois i ilustratorka Brenda Clark.
Ilustracje: Sean Jeffrey, Alice Sinker i Shelley Southern.
Historia została napisana przez Sharon Jennings.
Na podstawie odcinka telewizyjnego pt. *Franklin wymienia się kartami* z tekstem Johna Van Bruggena.

Projekt postaci Franklina: Paulette Bourgeois i Brenda Clark

Tłumaczenie: Patrycja Zarawska

Książka wydana za zgodą Kids Can Press Ltd., Toronto, Ontario, Kanada.

43-300 Bielsko-Biała, ul. M. Gorkiego 20
tel. 33 810 08 20
e-mail: handlowy.debit@onet.pl

Zapraszamy do księgarni internetowej na naszej stronie:
www.wydawnictwo-debit.pl

www.Franklin.pl

ISBN 978-83-7167-503-4

Franklin
wymienia się kartami

PIECZYWO
Muszkowe płatki

Franklin umiał już sobie zawiązać buty. Umiał też dobrze liczyć. Chętnie pomagał mamie w zakupach. A potem chętnie pałaszował to, co razem kupili. Chyba najbardziej lubił muszkowe płatki śniadaniowe. I dzięki temu zebrał wszystkie karty z superbohaterami.

Oczywiście, Franklin jadał
śniadanie codziennie.
Czasami były
to kanapki
z dżemem
posypanym muszkami.

Czasem naleśniki
z syropem
klonowym
i biedronkami.

Ale najczęściej żółwik wcinał
muszkowe płatki śniadaniowe.

Pewnego dnia Franklin znalazł w paczce swoich ulubionych płatków dwie karty. Były to karty z superbohaterami. Można było zebrać całą kolekcję.

– Świetnie! – ucieszył się żółwik. – Będę teraz jeść muszkowe płatki codziennie.

Franklin opowiedział o kartach kolegom.
– Są na nich superbohaterowie.
Można je zbierać i wymieniać się.
Wszyscy postanowili, że będą jeść muszkowe płatki.

– Ja nie lubię muszkowych płatków – jęknął bóbr.

– Ja też nie – dodał lis.

– Nie szkodzi – pocieszył się bóbr. – Chcę mieć te karty, więc będę jeść płatki.

– Ja też – westchnął lis.

Franklin lubił muszkowe płatki. Wkrótce nazbierał mnóstwo kart z superbohaterami.

– Mam Superpsiaka i Supercielaka – pochwalił się.

– Ja też! – zawołał bóbr.

– Mam też Superprosiaka i Superkurczaka – ciągnął dalej żółwik.

– Ja też! – odparł lis.

– Ale nie mam Superkociaka – zmartwił się Franklin.
– Ja też nie – powiedzieli równocześnie lis i bóbr.

Muszkowe płatki

Pewnego ranka Franklin wpadł na pomysł.

– Wyjąłem już karty z tej paczki płatków – oznajmił mamie. – Proszę, kup nową paczkę.

– Najpierw musisz skończyć tę starą – odpowiedziała mama. – Jak zjesz wszystkie płatki, kupię ci nowe.

– Hm – zamyślił się żółwik. – W takim razie zjem na śniadanie dwie miski płatków – postanowił. – I jutro też. Wtedy szybciej skończę paczkę.

Po południu Franklin wpadł na lepszy pomysł.
– Będę jeść muszkowe płatki na śniadanie, obiad i na kolację – oświadczył.
A potem przyszło mu do głowy coś jeszcze. Na pudełku z płatkami znalazł przepis na ciastka z muszkowych płatków.
– Będę je też jadał na deser – postanowił.

– Znudzą ci się i będziesz miał ich dość – ostrzegła go mama.
– Nigdy mi się nie znudzą! – zawołał żółwik. – Uwielbiam muszkowe płatki.

Po obiedzie Franklin poszedł do parku. Tam spotkał przyjaciół.
– W tym tygodniu zjadłem pięć paczek muszkowych płatków – pochwalił się. – Ale jeszcze nie mam Superkociaka – dodał smutno.
– Ja też go nie mam – odezwał się bóbr. – Ale mam trzy Superpsiaki.
– A ja mam dwa Superkurczaki – wtrącił się lis. – I ani jednego Superkociaka.
– Tak, trudno jest zdobyć Superkociaka – westchnął Franklin.

Na drugi dzień rano Franklin otworzył nową paczkę muszkowych płatków. Włożył do środka rękę w poszukiwaniu kart z superbohaterami.
– Hura! – zawołał radośnie.
W ręce trzymał kartę z Superkociakiem.
To był dopiero szczęśliwy traf!

W pudełku powinna być jeszcze jedna karta. Żółwik poszukał uważnie i znalazł ją.
– Niesamowite! – zawołał. – Jeszcze jeden Superkociak.

Tego dnia nie było szkoły. Franklin po śniadaniu pobiegł na plac zabaw.

– Słuchajcie! – zawołał do kolegów. – Mam dwa Superkociaki!

– Dasz mi jednego? – spytali równocześnie bóbr i lis.

– Ja zapytałem pierwszy! –
powiedział bóbr.
– Nieprawda! – odparował lis. –
To ja zapytałem pierwszy.
Franklin nie wiedział, co robić.

Następnego dnia w szkole lis
wpadł na pomysł.
– Za kartę z Superkociakiem
dam ci batonik – powiedział
do Franklina.
– A ja ci dam dwa batoniki –
wtrącił się bóbr. – Proszę,
daj tę kartę mnie!
Franklin był w rozterce.
Naprawdę nie wiedział,
co ma zrobić.

Po szkole mały żółw poszedł
na lody.
Bóbr i lis nie odstępowali go
ani na krok. W końcu lis nie
wytrzymał.
– Za kartę z Superkociakiem dam
ci loda – zaproponował.
– A ja dam ci loda z dwiema
gałkami! – zawołał zaraz bóbr.
– Dam trzy gałki! – rzucił
szybko lis.
– Cztery! – wpadł mu w słowo
bóbr.
Obaj byli tak samo uparci.
Franklin poczuł, że ma tego dość.
Nie chciał, żeby koledzy się
pokłócili.
– Nie mam ochoty na tyle lodów –
próbował tłumaczyć kolegom.
Ale oni wcale go nie słuchali.

Franklin poszedł do domu, żeby to wszystko przemyśleć.

– Nie wiem, co robić – zwierzył się mamie. – Bóbr i lis są moimi przyjaciółmi. Lubię ich obu i obaj chcą ode mnie kartę z Superkociakiem. A ja mam tylko jedną do odstąpienia.

– To może rzucisz
monetą? –
zaproponowała
mama.
– Dobra myśl! –
ucieszył się żółwik. –
To powinno rozstrzygnąć spór.
– A ja przestanę kupować
muszkowe płatki – powiedziała
mama. – Masz już całą kolekcję
kart z superbohaterami.
– No, nie wiem – zawahał się
Franklin. – To chyba
nie jest dobry
pomysł.

Następnego dnia rano Franklin poszedł do bobra. Wręczył mu jedną kartę z Superkociakiem. Bóbr aż podskoczył z radości.

– Juhu! – zawołał. – Nareszcie! Nareszcie nie muszę już więcej jeść muszkowych płatków.

Potem Franklin odszukał nad rzeczką lisa. Dał mu drugą swoją kartę z Superkociakiem. Lis też podskoczył z radości.

– Hura! – cieszył się. – Nie muszę już więcej jeść muszkowych płatków.

Mały żółw też był zadowolony. Właśnie sprawił radość dwóm przyjaciołom.

Potem Franklin wrócił do domu. Usiadł przy stole i otworzył nową paczkę muszkowych płatków. Zajrzał do środka i wyjął dwie karty z superbohaterami.
Na żadnej nie było Superkociaka, ale żółwik i tak się ucieszył.
– Hura! – roześmiał się. – Może już zawsze będę musiał jeść muszkowe płatki? Są pyszne!